세종
한국어

어휘·표현과 문법

1B

문화체육관광부
국립국어원

차례

1부

— Vocabulary —

어휘와 표현

01 어휘와 표현	VOCABULARY	무슨 음식을 좋아해요?
한국어	ENGLISH	예문
음식	food	저는 한국 음식을 좋아해요.
김치찌개	kimchijjigae; kimchi stew	저는 김치찌개를 좋아해요.
된장찌개	doenjangjjigae; soybean paste stew	제 친구는 된장찌개를 좋아해요.
냉면	naengmyeon; cold buckwheat noodles	여름에 냉면을 자주 먹어요.
볶음밥	fried rice	친구하고 볶음밥을 만들었어요.
잡채	japchae; stir-fried glass noodles and vegetables	어제 잡채를 먹었어요.
떡볶이	tteokbokki; stir-fried rice cakes	저는 떡볶이를 못 먹어요.
주문하다	order	우리 비빔밥하고 김치찌개를 주문해요.
선물	gift	생일에 무슨 선물을 받았어요?
받다	get, receive	무슨 선물을 받고 싶어요?
가장	most	저는 된장찌개를 가장 좋아해요.
동물	animal	무슨 동물을 좋아해요?
테니스	tennis	저는 테니스를 좋아해요.
미안하다	sorry	미안해요. 저는 수영을 못 해요.
혼자	alone	혼자 밥을 못 먹어요.
치다	play	테니스를 잘 쳐요.

운전	drive	저는 운전을 잘해요.
고기	meat	저는 고기를 못 먹어요.
햄버거	hamburger	저는 햄버거를 좋아해요.
생선	fish	저는 생선 초밥을 못 먹어요.
초밥	sushi	저는 생선 초밥을 못 먹어요.
내	I	내가 못 먹는 것
것	thing	제가 좋아하는 것은 고기예요.
일주일	a week	일주일에 세 번 한국 식당에 가요.
조금	a little	김치찌개는 조금 매워요.
하지만	but	떡볶이는 매워요. 하지만 맛있어요.
왜	why	이 사람은 왜 한국 식당에 자주 가요?
맛	taste	김치찌개 맛은 어때요?
얼마나	how	그 음식을 얼마나 자주 먹어요?

한국어	ENGLISH	예문
취미	hobby	취미가 뭐예요?
그림	picture	그림을 그려요.
그리다	draw	그림을 그려요.
노래	song	노래를 들어요.
기타	guitar	기타를 쳐요.
신문	newspaper	신문을 읽어요.
빌리다	borrow	책을 빌리러 도서관에 가요.
헬스클럽	gym	운동을 하러 헬스클럽에 가요.
은행	bank	은행에 왜 가요?
돈을 찾다	withdraw money	돈을 찾으러 은행에 가요.
사무실	office	세종학당 사무실에 선생님을 만나러 가요.
옷장	wardrobe	제 방에는 옷장이 있어요.
보통	usually	주말에 보통 뭐 해요?
독서	reading	저는 독서를 좋아해요.
그래서	so	저는 독서를 좋아해요. 그래서 도서관에 자주 가요.
특히	particularly	특히 한국 드라마를 자주 봐요.
년	year	5년 전에 수영을 배웠어요.
전	ago	2년 전에 낚시를 시작했어요.
근처	neighborhood, near	수영을 하러 집 근처 수영장에 가요.

03 어휘와 표현	VOCABULARY	백화점에서 쇼핑할 거예요
한국어	ENGLISH	예문
옷차림	clothing	오늘 옷차림이 어때요?
티셔츠	t-shirt	티셔츠를 사고 싶어요.
청바지	jeans	청바지를 샀어요.
치마	skirt	치마가 예뻐요.
정장	suit	정장을 입었어요.
운동복	sweat suit	운동복이 편해요.
매다	tie, put on	넥타이를 매요.
입다	put on	티셔츠를 입어요.
쓰다	put on	모자를 써요.
신다	put on	구두를 신어요.
바지	pants	바지를 사고 싶어요.
기차역	train station	친구가 와서 기차역에 가요.
결혼식	wedding	친구 결혼식이 있어서 정장을 샀어요.
아직	still	왜 아직 회사에 있어요?
이따가	later	이따가 뭐 할 거예요?
계획	plan	두 사람이 쇼핑 계획을 이야기하고 있어요.
이유	reason	좋아하는 이유가 뭐예요?
떡	tteok; rice cake	마트에서 떡을 살 거예요.
채소	vegetable	마트에서 채소를 살 거예요.
너무	too	요즘 너무 바빠요.
인터넷	internet	인터넷 쇼핑을 해요.
싸다	cheap	신발이 싸요.

04 어휘와 표현	VOCABULARY	더 큰 사이즈는 없어요?
한국어	ENGLISH	예문
크다	big	수박이 커요.
작다	small	사과가 작아요.
넓다	broad, wide, spacious	집이 넓어요.
좁다	small, narrow	방이 좁아요.
높다	high	하늘이 높아요.
낮다	low	산이 낮아요.
길다	long	치마가 길어요.
짧다	short	바지가 짧아요.
비싸다	expensive	가방이 비싸요.
싸다	cheap	신발이 싸요.
편하다	comfortable	옷이 편해요.
불편하다	uncomfortable	의자가 불편해요.
수박	watermelon	저 수박이 정말 커요.
머리	hair	친구 머리가 길어요.
찾다	look for	뭘 찾으세요?
귀엽다	cute	귀여운 고양이를 보고 있어요.
잠	sleep	잠을 잡니다.
꿈	dream	제 꿈은 요리사입니다.
점원	clerk	점원과 유진 씨는 무슨 이야기를 할까요?
손님	customer	손님, 어떠세요?

사이즈	size	큰 사이즈가 없습니다.
죄송하다	sorry	죄송합니다.
잠시	a while	잠시만 기다리세요.
기다리다	wait	줄을 서서 기다리세요.
보이다	show	조금 큰 바지 보여 주세요.
가격	price	쇼핑몰에 가격이 싼 신발이 많습니다.

|---|---|---|
한국어	ENGLISH	예문
방향	direction	이 방향으로 가세요.
이동	movement	저쪽으로 이동하세요.
올라가다	go up	2층으로 올라가세요.
내려가다	go down	지하 1층으로 내려가세요.
나가다	go out	밖으로 나가세요.
들어가다	go into	안으로 들어가세요.
똑바로	straight	왼쪽으로 똑바로 가세요.
돌아가다	turn around	뒤로 돌아가세요.
건너가다	cross	은행 앞에서 건너가세요.
주차장	parking lot	주차장이 건물 뒤에 있어요.
건물	building	이 건물 지하에 주차장이 있어요.
화장실	toilet	화장실은 1층에 있어요.
무섭다	scary	저는 무서운 영화를 좋아해요.
스페인어	Spanish language	스페인어를 어떻게 배웠어요?
걸리다	take	시간이 얼마나 걸려요?
쯤	about	시간이 한 시간쯤 걸려요.
테니스장	tennis court	학교 테니스장에서 테니스를 쳐요.
저쪽	over there	교실은 저쪽에 있어요.
시청	city hall	시청이 어디에 있어요?
시장	market	전통 시장에 가요.
엘리베이터	elevator	엘리베이터는 왼쪽에 있어요.

병원	hospital	병원에서 왼쪽으로 가세요.
알다	know	한국병원을 알아요?
그러면	then	오른쪽으로 가세요. 그러면 은행이 있어요.
빵집	bakery	빵집 앞에서 길을 건너세요.
길	street	길을 건너세요.
약국	pharmacy	약국 옆에 우리 집이 있어요.
지도	map	지도를 보고 길을 찾아 보세요.

06 어휘와 표현	VOCABULARY	한국미술관까지 어떻게 가요?
한국어	ENGLISH	예문
교통수단	transportation	여러분이 자주 타는 교통수단은 뭐예요?
우체국	post office	은행은 우체국 옆에 있어요.
오토바이	motorcycle	집에 오토바이를 타고 가요.
택시	taxi	백화점에 택시를 타고 갔어요.
기차	train	부산에 기차를 타고 갈까요?
지하철	subway	학교에 지하철을 타고 가요.
배	ship	배를 탈까요?
비행기	airplane	비행기를 타고 가세요.
갈아타다	transfer	버스로 갈아타요.
내리다	get off	택시에서 내려요.
가깝다	close	집에서 회사까지 가까워요.
멀다	far	세종학당은 집에서 멀어요.
정류장	bus stop, stop station	버스 정류장에서 호텔까지 어떻게 가요?
호텔	hotel	공항에서 호텔까지 어떻게 가요?
공항	airport	공항에 어떻게 갈까요?
차	car	제 차를 타고 가요.
간식	snack	간식은 뭘 살까요?
배가 고프다	hungry	배가 고프니까 식당에 가요.
싫어하다	dislike	저는 쇼핑을 싫어해요.
늦다	late	수업 시간에 늦었어요.
미술관	art museum	오늘 오후에 미술관에 갈까요?

07 어휘와 표현	VOCABULARY	제주도에 가려고 해요
한국어	ENGLISH	예문
산	mountain	산이 높아요.
섬	island	섬이 멀어요.
도시	city	도시가 커요.
호수	lake	호수가 아름다워요.
돈	money	돈을 준비해요.
약	medicine	약을 먹어요.
여권	passport	여권을 만들어요.
수영복	swimsuit	수영복을 사요.
구경	sightseeing	구경을 해요.
맛집	popular restaurant	맛집에 가요.
경주	Gyeongju	경주로 여행을 갈 거예요.
닭갈비	dakgalbi; spicy stir-fried chicken	오늘 저녁에 닭갈비를 먹으려고 해요.
휴가	vacation	이번 휴가에 여행을 가려고 해요.
자르다	cut	머리를 자르려고 해요.
불국사	Bulguksa Temple	경주에 가려고 해요. 불국사에 가고 박물관에도 가려고 해요.
설악산	Seoraksan Mountain	친구들하고 설악산으로 여행을 가요.
밤	night	밤에 친구들과 파티를 하려고 해요.
등산화	hiking boots	등산화를 샀어요.
선글라스	sunglasses	선글라스를 샀어요.

빨리	quickly	빨리 여행을 가고 싶어요.
준비하다	prepare	수영복을 준비해요.

한국어	ENGLISH	예문
경험	experience	친구와 여행 경험을 이야기해요.
거리	street	거리 구경을 해요.
축제	festival	축제에 가요.
전통 시장	traditional market	전통 시장에 가요.
새롭다	new	새로운 음식을 먹어요.
공연	performance	거리 공연을 봐요.
삼계탕	samgyetang; ginseng chicken soup	삼계탕을 먹어요.
명동	Myeong-dong	명동에 화장품 가게가 많아요.
인사동	Insa-dong	인사동에서 한국 전통 음식을 먹었어요.
멋있다	cool, fantastic	가수들이 아주 멋있었어요.
끝나다	finish, end	콘서트가 끝난 후에 가수하고 사진을 찍었어요.
이	tooth	밥을 먹은 후에 이를 닦아요.
닦다	clean	창문을 닦아요.
설거지	dishwashing	저녁을 먹은 후에 설거지를 할 거예요.
샤워하다	shower	책을 읽은 후에 샤워할 거예요.
더	more	뭐가 더 비싸요?
귤	tangerine	사과보다 귤이 싸요.
다녀오다	come back	여행 잘 다녀왔어요?
지난번	last time	이번 여행이 지난번보다 좋았어요.
괜찮다	fine, all right	날씨는 괜찮았어요?

바닷가	beach	바닷가에서 산책했어요.
푹	well	호텔에서 푹 쉬었어요.
유명하다	famous	유명한 맛집을 찾았어요.
끝	end	축제를 끝까지 봤어요.
작년	last year	작년에 친구하고 서울에 갔어요.
먼저	first	우리는 먼저 경복궁에 갔어요.
경복궁	Gyeongbokgung Palace	경복궁을 구경했어요.
외국 사람	foreigner	경복궁에 외국 사람이 많았어요.
다음	next	다음에는 부산에 가요.
날	day	다음 날에는 한강에 갔어요.
참	really, very	서울 여행은 참 재미있었어요.
다시	again	서울에 다시 가고 싶어요.

09 어휘와 표현	VOCABULARY	집에서 푹 쉬어야 돼요
한국어	ENGLISH	예문
신체	body	신체가 건강해요.
증상	symptom	증상이 어때요?
눈	eye	눈이 커요.
귀	ear	귀가 작아요.
코	nose	코가 아파요.
입	mouth	입이 커요.
목	throat	목이 아파요.
배	stomach	배가 아파요.
팔	arm	팔이 짧아요.
손	hand	손이 작아요.
다리	leg	다리가 길어요.
발	foot	발이 커요.
감기	cold	감기에 걸렸어요.
걸리다	catch, get	감기에 걸렸어요
아프다	ache, hurt	머리가 아파요.
열이 나다	have a fever	열이 나요.
콧물	runny nose	콧물이 나요.
기침	cough	기침을 해요.
몸	body	오늘은 몸이 어때요?
새	new	새 신발이 어때요?
복잡하다	crowded	지금도 길이 복잡해요?

아까	a moment ago, a short while ago	아까는 길이 복잡했어요.
힘들다	hard	테니스는 힘들지만 재미있어요.
숙제	homework	숙제 다 했어요?
단어	word	단어를 많이 공부했어요.
외우다	memorize	지금부터 단어를 외울 거예요.
드시다	drink / eat	따뜻한 물을 자주 드세요. / 맛있게 드세요.
계속	continuously	약을 먹었지만 머리가 계속 아파요.
넣다	put in	하루에 약을 두 번 넣어야 돼요.
이제	now	이제부터 컴퓨터 게임을 많이 안 할 거예요.

10 어휘와 표현	VOCABULARY	학교에 가기 전에 수영을 해요
한국어	ENGLISH	예문
건강하다	healthy	여러분은 건강을 위해 무엇을 해요?
생활	life	건강한 생활을 하고 있어요?
꼭	always	아침을 꼭 먹어요.
웃다	laugh	자주 웃어요.
지키다	keep	식사 시간을 잘 지켜요.
가끔	sometimes	가끔 공원에서 자전거를 타요.
퇴근	leaving work	퇴근 후에 운동을 해요.
요가	yoga	집에서 요가를 해요.
대학교	college, university	대학교를 졸업하기 전에 뭘 하고 싶어요?
졸업하다	graduate	대학교를 졸업하기 전에 친구들하고 여행을 가고 싶어요.
팝콘	popcorn	영화를 보기 전에 팝콘을 살까요?
해외여행	overseas travel	해외여행을 가기 전에 여권을 만들어요.
초대하다	invite	결혼식에 친구를 초대해요.
샐러드	salad	샐러드를 만들어서 먹어요.
제일	most, first	아침에 일어나서 제일 먼저 물을 마셔요.
습관	habit	어떤 좋은 생활 습관이 있어요?

10

한국어	ENGLISH	예문
모임	gathering, meeting	반 모임을 준비해요.
정하다	decide	시간을 정해요.
예약하다	make a reservation	장소를 예약해요.
연락	contact	연락을 해요.
스키	ski	스키를 탈 수 있어요.
전화	phone	지금 전화를 받을 수 없어요.
다치다	hurt	어제 다리를 다쳤어요.
모이다	gather	주노 씨 집에서 모일까요?
결혼	marriage	결혼을 축하해요.
축하	congratulations, celebration	생일 축하 파티는 어디에서 할까요?
초대장	invitation	안나 씨가 초대장을 썼어요.
함께	together	친구들하고 함께 케이크를 먹었어요.
부르다	sing	한국 노래를 부릅니다.
춤	dance	춤도 배울 수 있습니다.
매주	every week	우리는 매주 화요일에 모이고 있습니다.
소강당	small assembly hall	3층 소강당에서 모임을 해요.
문의	inquiry	이 전화번호로 문의를 하세요.

한국어	ENGLISH	예문
졸업식	graduation ceremony	동생 졸업식에 시계를 줄 거예요.
어버이날	Parents' Day	어버이날에 꽃을 선물했어요.
어린이날	Children's Day	어린이날에 게임기를 주고 싶어요.
명절	national holiday	명절 선물을 준비했어요.
최근	recently	최근에 무슨 선물을 받았어요?
지갑	wallet	졸업식에 지갑을 받았어요.
게임기	game console	생일에 게임기를 받고 싶어요.
보내다	send	형한테 사진을 보내고 있어요.
누나	older sister	누나에게 전화했어요.
편지	letter	친구에게 편지를 보낼 거예요.
카드	card	동생한테 축하 카드를 썼어요.
메시지	text message	리사 씨에게 메시지를 보냈어요.
인형	doll	수지 씨는 인형을 좋아해요.
졸업	graduation	졸업 선물은 준비했어요?
생각	idea, thought	좋은 생각이에요.
오래되다	old	지갑이 오래되었어요.
고등학교	high school	동생이 고등학교에 다녀요.
입학식	entrance ceremony	내일이 동생 입학식이에요.
표	ticket	친구한테 콘서트 표를 주었어요.
그릇	bowl	리사 씨에게 그릇을 선물했어요.
처음	first	케이크를 처음 만들어서 예쁘지 않아요.

12

열심히	hard	케이크를 열심히 만들었어요.
한번	once	다시 한번 생일 축하해요.
말	words	어떤 말을 하고 싶어요?

2부

Grammar

문법

무슨

의미 MEANING

명사 앞에서 그 명사에 대해
더 구체적으로 질문할 때 사용한다.

'무슨' comes before a noun,
asking about the noun more
specifically.

형태 FORM

항상 명사 앞에 사용한다.

'무슨' is always used in front of
a noun.

예문 EXAMPLE

- **무슨** 계절을 좋아해요?
- **무슨** 운동을 자주 해요?
- **무슨** 음식을 자주 먹어요?
- **무슨** 선물을 받고 싶어요?
- **무슨** 과일을 샀어요?
- **무슨** 음악을 가장 좋아해요?
- **무슨** 동물을 가장 좋아해요?
- **무슨** 운동을 가장 좋아해요?
- **무슨** 선물을 가장 좋아해요?

활용 PRACTICE

가 : 무슨 음식을 좋아해요?

나 : 저는 한국 음식을 좋아해요.

가 : 생일에 무슨 선물을 받았어요?

나 : 운동화를 받았어요.

못

의미   MEANING

동사 앞에서 어떤 행동을 할 능력이 없거나 어떤 원인 때문에 그 행위가 일어나지 않음을 나타낸다.

'못' comes before a verb, indicating that a certain action does not occur due to inability or other reasons.

형태   FORM

동사 앞에 사용하며, '명사'+'하다' 형태의 동사는 '명사'+'못 하다'의 형태로 쓴다.

'못' is used in front of a verb. The verb in the form of 'a noun'+'하다' is changed to the form of 'a noun'+'못 하다.'

예문   EXAMPLE

- 혼자 밥을 **못** 먹어요.
- 자전거를 **못** 타요.
- 피아노를 **못** 쳐요.
- 고기를 **못** 먹어요.
- 생선을 **못** 먹어요.
- 여행을 **못** 가요.
- 운동을 **못** 해요.
- 수영을 **못** 해요.
- 운전을 **못** 해요.
- 이야기를 **못** 해요.

활용   PRACTICE

가 : 우리 같이 수영장에 갈까요?

나 : 미안해요. 저는 수영을 못 해요.

가 : 떡볶이를 좋아해요?

나 : 아니요. 저는 떡볶이를 못 먹어요.

-(으)러 가다

의미 MEANING

동사 뒤에 붙어서 이동의 목적을
말할 때 사용한다.

'-(으)러 가다' is combined with
a verb and used to indicate
the purpose of a movement.

형태 FORM

동사에 받침이 있으면 '-으러 가다',
받침이 없으면 '-러 가다'를 쓴다.
'ㄹ' 받침 동사는 '-러 가다'로 쓴다.

'-으러 가다' is used when a verb
stem ends with a consonant, and
'-러 가다' is used when a verb
stem ends with a vowel. '-러 가다'
is used when a verb stem ends
with 'ㄹ.'

예문 EXAMPLE

- 돈을 찾**으러** 은행에 **가요.**
- 한국어 수업을 들**으러** 세종학당에 **가요.**
- 책을 빌리**러** 도서관에 **가요.**
- 선생님을 만나**러** 세종학당 사무실에 **가요.**
- 운동을 하**러** 헬스클럽에 **가요.**
- 커피를 마시**러** 카페에 **가요.**
- 머리를 자르**러** 미용실에 **가요.**
- 옷을 사**러** 백화점에 **가요.**
- 자전거를 타**러** 공원에 **가요.**
- 낚시를 하**러** 바다에 **가요.**

활용 PRACTICE

가 : 재민 씨, 지금 어디에 가요?

나 : 점심을 먹으러 식당에 가요.

가 : 오늘도 축구를 하러 가요?

나 : 네. 세 시에 가요.

도

의미　MEANING

명사나 일부 조사 뒤에 붙어서 이미 어떤 것이 포함되고 그 위에 더함의 뜻을 나타낸다.

'도' attaches to the end of a noun or some postpositional particles, indicating that something is added to the thing already mentioned.

형태　FORM

명사나 조사의 받침 유무와 상관없이 '도'를 쓴다. 문장에서 주어나 목적어 뒤에 '도'가 붙으면 '은/는', '이/가', '을/를'은 쓰지 않는다. 그러나 '에', '에서'의 경우에는 '에도', '에서도'라고 쓴다.

'도' is used regardless of whether a noun or a postpositional particle ends with a consonant or not. When '도' attaches to the end of the subject or the object in a sentence, '은/는,' '이/가,' and '을/를' are not used. However, in the case of '에' and '에서,' '에도' and '에서도' are used.

예문　EXAMPLE

· 저는 축구를 좋아해요. 테니스**도** 좋아해요.
· 오늘 생일 파티에 안나 씨가 와요. 그리고 수지 씨**도** 와요.
· 수영을 배우고 싶어요. 그리고 테니스**도** 배우고 싶어요.
· 사과를 사요. 그리고 바나나**도** 사요.
· 옷을 사고 싶어요. 그리고 구두**도** 사고 싶어요.
· 기타를 쳐요. 그리고 그림**도** 그려요.
· 불고기를 먹고 싶어요. 그리고 잡채**도** 먹고 싶어요.
· 아침에 운동을 해요. 그리고 저녁에**도** 해요.

활용　PRACTICE

가 : 누가 자전거를 타요?
나 : 안나 씨가 자전거를 타요. 수지 씨도 자전거를 타요.

가 : 월요일에 한국어 수업이 있어요?
나 : 네. 있어요. 그리고 수요일에도 있어요.

-아서 / 어서

의미   MEANING

동사나 형용사 뒤에 붙여서 이유를
말할 때 사용한다.

'-아서/어서' is combined with
a verb or an adjective and used
to indicate reasons.

형태   FORM

동사나 형용사의 모음이 'ㅏ, ㅗ'면
'-아서', 그 외 모음이면 '-어서'를
쓴다. '하다'는 '해서'로 쓴다.
과거의 '-았/었-', 미래·추측의
'-겠-'과 결합하지 않는다. 뒤 절에
청유문이나 명령문이 올 수 없다.

When the final vowel of a verb
stem or an adjective stem is
'ㅏ' or 'ㅗ,' '-아서' is used, otherwise
'-어서' is used. '하다' is changed to
'해서.' It cannot be combined with
'-았/었-' which indicates the past
tense, or with '-겠-' which
indicates the future tense or
supposition. It cannot be
followed by a request or by
an imperative sentence as
the second clause.

예문   EXAMPLE

- 일이 많**아서** 회사에 있어요.
- 비가 **와서** 수영을 못 해요.
- 비가 **와서** 집에 있었어요.
- 요즘 바**빠서** 운동을 못 해요.
- 생일 파티가 있**어서** 친구 집에 가요.
- 아침에 밥을 못 먹**어서** 점심을 많이 먹었어요.
- 친구를 만나고 싶**어서** 친구 집에 갔어요.
- 한국 여행을 하고 싶**어서** 한국어를 공부해요.
- 커피를 좋아**해서** 매일 마셔요.
- 김치를 좋아**해서** 자주 먹어요.

활용   PRACTICE

가 : 기차역에 왜 가요?
나 : 친구가 와서 기차역에 가요.

가 : 정장을 왜 샀어요?
나 : 친구 결혼식이 있어서 샀어요.

30

-(으)ㄹ 거예요

의미 MEANING

동사 뒤에 붙어서 미래의 일이나 계획을 나타낸다.

'-(으)ㄹ 거예요' is combined with a verb, indicating a future event or a plan.

형태 FORM

동사에 받침이 있으면 '-을 거예요', 받침이 없으면 '-ㄹ 거예요'를 쓴다. 'ㄹ' 받침 동사는 '거예요'로 쓴다.

'-을 거예요' is used when a verb stem ends with a consonant, and '-ㄹ 거예요' is used when a verb stem ends with a vowel. When a verb stem ends with 'ㄹ,' '거예요' is used.

예문 EXAMPLE

· 저녁에 한국 음식을 먹**을 거예요**.
· 집에서 책을 읽**을 거예요**.
· 오후에 영화를 볼 **거예요**.
· 내일 신발을 살 **거예요**.
· 주말에 바다에 갈 **거예요**.
· 주말에 마트에 갈 **거예요**.
· 떡하고 채소를 살 **거예요**.
· 신발 가게에서 운동화를 살 **거예요**.
· 백화점에서 가방하고 모자를 살 **거예요**.
· 오늘 정장하고 구두를 살 **거예요**.

활용 PRACTICE

가 : 저녁에 책을 읽을 거예요?
나 : 아니요. 공원에서 자전거를 탈 거예요.

가 : 이번 주말에 뭐 할 거예요?
나 : 백화점에서 쇼핑할 거예요.

-(으)ㄴ

의미 MEANING

형용사 뒤에 붙어서 뒤에 오는
명사를 수식하여 그 상태를
나타낸다.

'-(으)ㄴ' is combined with
an adjective, modifying
the following noun and
indicating the state of
the noun.

형태 FORM

형용사에 받침이 있으면 '-은',
받침이 없으면 '-ㄴ'을 쓴다.
'ㄹ' 받침 형용사는 'ㄹ'이 탈락하고
'-ㄴ'을 쓴다.

'-은' is used when an adjective
stem ends with a consonant, and
'-ㄴ' is used when an adjective
stem ends with a vowel. When
an adjective stem ends with 'ㄹ'
is dropped and then '-ㄴ' is used.

04

예문 EXAMPLE

- 넓**은** 침대가 있어요.
- 좋**은** 노래를 부르고 싶습니다.
- 작**은** 케이크를 샀어요.
- 작**은** 책상이 있어요.
- 큰 캐리어를 살 거예요.
- 큰 창문이 있어요.
- 예**쁜** 꽃이 있어요.
- 귀여**운** 고양이를 보고 있어요.
- 긴 바지를 입을 거예요.
- 맛있**는** 밥을 먹었어요.

활용 PRACTICE

가 : 뭘 찾으세요?

나 : 작**은** 우산을 사고 싶어요.

가 : 오늘 뭐 살 거예요?

나 : 예**쁜** 가방을 살 거예요.

-습니다/ㅂ니다, -습니까?/ㅂ니까?

의미　MEANING

동사나 형용사 뒤에 붙여서 서술하거나
물을 때 사용한다. 예의와 격식을 차려서
말해야 하는 상황에서 사용하는
격식체이다.

'-습니다/ㅂ니다', '-습니까?/ㅂ니까?'
is combined with a verb or
an adjective, describing or asking
something. It is a formal style used in
situations where manners and
formality are required.

형태　FORM

동사나 형용사에 받침이 있으면
'-습니다', '-습니까?', 받침이 없으면
'-ㅂ니다', '-ㅂ니까?'를 쓴다.
'ㄹ' 받침 동사나 형용사는 'ㄹ'이 탈락하고
'-ㅂ니다', '-ㅂ니까?'를 쓴다.

'-습니다' and '-습니까?' are used when
a verb stem or an adjective stem ends
with a consonant, and '-ㅂ니다' and
'-ㅂ니까?' when it ends with a vowel.
When a verb or an adjective stem
ends with 'ㄹ,' the final consonant
'ㄹ' is dropped and then '-ㅂ니다'
and '-ㅂ니까?' are used.

예문　EXAMPLE

- 책을 읽**습니다**.
- 음악을 듣**습니다**.
- 여기 있**습니다**.
- 잠을 **잡니다**.
- 빵을 **만듭니다**.
- 긴 바지가 있**습니까**?
- 많은 신발이 있**습니까**?
- 더 예쁜 옷이 있**습니까**?
- 더 큰 사이즈는 없**습니까**?
- 더 편한 운동화는 없**습니까**?

활용　PRACTICE

가 : 큰 가방 있어요?
나 : 네. 여기 있습니다.

가 : 오늘 회의는 몇 시에 합니까?
나 : 다섯 시에 합니다.

의문사

의미 MEANING

의문사(누구, 어디, 무엇, 언제, 얼마, 얼마나, 어떻게, 왜, 몇, 어떤 등)는 질문하는 문장에서 궁금한 것을 가리킬 때 사용한다.

Interrogatives such as 누구(who), 어디(where), 무엇(what), 언제(when), 얼마(how much), 어떻게(how), 왜(why), 몇(how many), and 어떤(which) are used to ask questions.

예문 EXAMPLE

- **무엇**을 좋아해요?
- 오늘 **누구**를 만나요?
- 생일이 **언제**예요?
- 시간이 **얼마나** 걸려요?
- **어떤** 음식을 좋아해요?
- 취미가 **뭐**예요?
- **얼마나** 배웠어요?
- 일주일에 **몇** 번 해요?
- **누구**하고 같이 해요?
- **어디**에서 해요?

활용 PRACTICE

가 : 어떤 영화를 좋아해요?
나 : 저는 무서운 영화를 좋아해요.

가 : 스페인어를 어떻게 배웠어요?
나 : 집에서 혼자 공부했어요.

(으)로

의미 MEANING

명사 뒤에 붙어서 향하는 곳이나 방향을 나타낸다.

'(으)로' attaches to the end of a noun, indicating a destination or a direction.

형태 FORM

명사에 받침이 있으면 '으로', 받침이 없으면 '로'를 쓴다. 'ㄹ' 받침 명사는 '로'를 쓴다.

'으로' is used when a noun ends with a consonant, and '로' is used when a noun ends with a vowel. When a noun ends with 'ㄹ,' '로' is used.

예문 EXAMPLE

- 오른쪽**으로** 가세요.
- 왼쪽**으로** 가세요.
- 앞**으로** 똑바로 가세요.
- 뒤**로** 돌아가세요.
- 2층**으로** 올라가세요.
- 지하 1층**으로** 내려가세요.
- 3층**으로** 올라가세요.
- 사무실**로** 오세요.

활용 PRACTICE

가 : 교실이 어디에 있어요?

나 : 저쪽에 있어요. 저쪽으로 가세요.

가 : 주차장이 어디에 있어요?

나 : 이 건물 지하에 있어요. 지하로 내려가세요.

○에서 ○까지

의미 MEANING

명사 뒤에 붙어서 출발지와
도착지를 나타낸다.

'○에서 ○까지' attaches to the end
of a noun, indicating a point of
departure and a destination.

형태 FORM

명사의 받침 유무와 상관없이
'○에서 ○까지'를 쓴다.

'○에서 ○까지' is used regardless of
whether a noun ends with
a consonant or not.

예문 EXAMPLE

- 집**에서** 학교**까지** 어떻게 가요?
- 세종학당**에서** 집**까지** 어떻게 가요?
- 버스 정류장**에서** 서울호텔**까지** 어떻게 가요?
- 제주도**에서** 부산**까지** 어떻게 가요?
- 여러분 나라**에서** 한국**까지** 어떻게 가요?
- 여기**에서** 집**까지** 어떻게 가요?
- 여기**에서** 회사**까지** 어떻게 가요?
- 여기**에서** 공원**까지** 어떻게 가요?
- 여기**에서** 학교**까지** 어떻게 가요?
- 여기**에서** 우체국**까지** 어떻게 가요?

활용 PRACTICE

가 : 여기에서 누리백화점까지 가까워요?

나 : 아니요. 조금 멀어요.

가 : 집에서 회사까지 얼마나 걸려요?

나 : 한 시간쯤 걸려요.

-아요/어요

의미 MEANING

동사 뒤에 붙여서 의견을 제안할 때 사용한다.

'-아요/어요' is combined with a verb and used to make suggestions.

형태 FORM

동사의 모음이 'ㅏ, ㅗ'면 '-아요', 그 외 모음이면 '-어요'를 쓴다. '하다'는 '해요'를 쓴다.

When the final vowel of a verb stem is 'ㅏ' or 'ㅗ,' '-아요' is used, otherwise '-어요' is used. '하다' is changed to '해요.'

예문 EXAMPLE

- 영화를 **봐요**.
- 카페에 **가요**.
- 세 시에 만**나요**.
- 과자하고 주스를 **사요**.
- 같이 택시를 **타요**.
- 떡볶이를 만들**어요**.
- 같이 피자를 먹**어요**.
- 같이 커피를 마**셔요**.
- 같이 게임을 **해요**.
- 같이 산책**해요**.

활용 PRACTICE

가 : 공항에 어떻게 갈까요?

나 : 제 차를 타고 가요.

가 : 저녁에 뭐 먹을까요?

나 : 비빔밥을 같이 먹어요.

-(으)려고 하다

의미 MEANING

동사 뒤에 붙어서 계획이나 의도를
나타낸다.

'-(으)려고 하다' is combined with
a verb, indicating a plan or
an intention.

형태 FORM

동사에 받침이 있으면
'-으려고 하다', 받침이 없으면
'-려고 하다'를 쓴다.
'ㄹ' 받침 동사는 '-려고 하다'를
쓴다.

'-으려고 하다' is used when a verb
stem ends with a consonant, and
'-려고 하다' is used when a verb
stem ends with a vowel. When
a verb stem ends with 'ㄹ,'
'-려고 하다' is used.

예문 EXAMPLE

- 책을 많이 읽**으려고 해요**.
- 닭갈비를 먹**으려고 해요**.
- 머리를 자르**려고 해요**.
- 한라산에 올라가**려고 해요**.
- 청소를 하**려고 해요**.
- 오늘 날씨가 좋아서 자전거를 타**려고 해요**.
- 비빔밥을 만들**려고 해요**.

활용 PRACTICE

가 : 오늘 저녁에는 뭘 먹어요?

나 : 닭갈비를 먹으려고 해요.

가 : 재민 씨, 이번 휴가에 뭐 할 거예요?

나 : 여행을 가려고 해요.

-고

의미　　MEANING

동사나 형용사 뒤에 붙여서 두 가지
사실이나 내용을 나열할 때 사용한다.

'-고' is combined with a verb or
an adjective and used to list two or
more facts or statements.

형태　　FORM

동사나 형용사의 받침 유무와 상관없이
'-고'를 쓴다. 앞 절에는 시제(과거,
미래)를 적용하지 않는다. 명사 뒤에
'도'를 넣어서 앞 절과 뒤 절에 모두
적용됨을 나타낼 수 있다. 앞 절과 뒤 절을
바꿔 쓰는 것이 가능하며 앞 절과 뒤 절의
주어가 달라도 사용할 수 있다.

'-고' is used regardless of whether
a verb stem or an adjective stem ends
with a consonant or not. The past or
future tense is not applied to the first
clause. '도' can be added to the end of
a noun to indicate that the following
verb or adjective applies to both the
first and second clauses. The order of
the first and second clauses can be
exchanged. It can be used when
the subject of the first clause is
different from that of the second clause.

예문　　EXAMPLE

· 수지는 텔레비전을 보**고** 마리는 요리해요.

· 수지는 청소를 하**고** 마리는 친구를 만나요.

· 친구를 만나**고** 청소도 할 거예요.

· 한국어 공부를 하**고** 아르바이트도 해요.

· 텔레비전을 보**고** 책도 읽어요.

· 저는 드라마를 보**고** 게임도 할 거예요.

· 바다에서 배도 타**고** 낚시도 할 거예요.

· 바다가 아름답**고** 음식도 맛있어요.

활용　　PRACTICE

가 : 이 식당은 어때요?

나 : 음식이 맛있고 싸요.

가 : 제주도에서 뭐 할 거예요?

나 : 등산을 하고 낚시도 할 거예요.

-(으)ㄴ 후에

의미 MEANING

동사 뒤에 붙어서 앞의 행위가 뒤의 행위보다 시간적으로 먼저 일어났음을 나타낸다.

'-(으)ㄴ 후에' is combined with a verb, indicating that the former action occurred before the latter action.

형태 FORM

동사에 받침이 있으면 '-은 후에', 받침이 없으면 '-ㄴ 후에'를 쓴다. 'ㄹ' 받침 동사는 'ㄹ'이 탈락하고 '-ㄴ 후에'를 쓴다. 앞의 행위가 뒤의 행위보다 먼저 일어났음을 나타내기 때문에 뒤 절에는 과거나 미래 시제를 다 사용할 수 있다.

'-은 후에' is used when a verb stem ends with a consonant, and '-ㄴ 후에' is used when a verb stem ends with a vowel. When a verb stem ends with 'ㄹ' is dropped and then '-ㄴ 후에' is used. It indicates that the former action occurred before the latter action, so both the past tense and future tense can be used in the second clause.

예문 EXAMPLE

- 밥을 먹**은 후에** 물을 마셔요.
- 책을 읽**은 후에** 텔레비전을 봐요.
- 운동**한 후에** 샤워해요.
- 설거지를 **한 후에** 뭐 할 거예요?
- 자전거를 **탄 후에** 산책해요.
- 쇼핑을 **한 후에** 콘서트를 보러 갑니다.
- 수영을 **한 후에** 맛있는 음식을 먹었어요.
- 음식을 다 만**든 후에** 전화해요.

활용 PRACTICE

가 : 약을 언제 먹어요?
나 : 밥을 먹은 후에 먹어요.

가 : 가수하고 사진을 찍었어요?
나 : 네. 콘서트가 끝난 후에 같이 사진을 찍었어요.

보다

의미   MEANING

명사 뒤에 붙어서 '보다'가 결합한
명사가 비교의 기준이 됨을
나타낸다.

'보다' attaches to the end of
a noun, indicating that the noun
attached to '보다' is a basis of
comparison.

형태   FORM

명사의 받침 유무와 상관없이
'보다'를 쓴다. '더'와 함께 사용할 수
있다. '보다'와 결합한 명사는 비교
대상이 되는 명사의 앞이나 뒤에
위치할 수 있다.

'보다' is used regardless of
whether a noun ends with
a consonant or not.
It can be used along with '더.'
The noun attached to '보다' can
be placed before or after
the noun against which
the comparison is made.

예문   EXAMPLE

- 수영**보다** 축구를 더 좋아해요.
- 설악산**보다** 한라산이 더 높아요.
- 버스**보다** 지하철이 더 편해요.
- 불고기**보다** 삼계탕이 더 맛있어요.
- 이번 여행이 지난번 여행**보다** 더 좋았어요.
- 정장**보다** 한복이 더 좋습니다.

활용   PRACTICE

가 : 여름 여행이 좋아요? 겨울 여행이 좋아요?

나 : 저는 겨울 여행보다 여름 여행이 좋아요

가 : 뭐가 더 비싸요?

나 : 수박이 딸기보다 비싸요.

-지만

의미 MEANING

동사나 형용사 뒤에 붙어서 앞에 나온
사실이나 내용에 반대되는 것을 나타낸다.

'-지만' is combined with a verb or
an adjective, indicating that
the following action or description is
contrary to the preceding one.

형태 FORM

동사나 형용사의 받침 유무에 상관없이
'-지만'을 쓴다. 과거의 '-았/었-',
미래·추측의 '-겠-'과 결합할 수 있다.
앞 절과 뒤 절의 주어가 다를 수 있으며
반대가 되는 내용을 표현할 때는 조사
'은/는'을 사용한다.

'-지만' is used regardless of whether
a verb stem or an adjective stem ends
with a consonant or not. It can be
combined with '-았/었-' which
indicates the past tense and '-겠-'
which indicates the future tense or
a supposition. The subjects in the first
clause and the second clause can be
different. A postpositional particle
'은/는' is used to express a contrast.

예문 EXAMPLE

- 맛있**지만** 좀 비싸요.
- 예쁘**지만** 불편해요.
- 싸**지만** 불편해요.
- 날씨가 더웠**지만** 좋았어요.
- 토요일에는 가**지만** 일요일에는 안 가요.
- 아까는 복잡했**지만** 지금은 안 복잡해요.
- 약을 먹었**지만** 계속 아파요.

활용 PRACTICE

가 : 재민 씨는 생선을 좋아해요?

나 : 네. 고기는 안 좋아하지만 생선은
좋아해요.

가 : 안나 씨, 오늘은 몸이 어때요?

나 : 어제는 많이 아팠지만 오늘은
괜찮아요.

-아야/어야 되다

의미 MEANING

동사나 형용사 뒤에 붙어서 어떤 행위를 꼭 하거나 어떤 상태가 되어야 함을 나타낸다.

'-아야/어야 되다' is combined with a verb or an adjective, indicating that something must be done or in a certain condition.

형태 FORM

동사나 형용사의 모음이 'ㅏ, ㅗ'면 '-아야 되다', 그 외 모음이면 '-어야 되다'를 쓴다.
'하다'는 '해야 되다'로 쓴다.

'-아야 되다' is used when the final vowel of a verb stem or an adjective stem is 'ㅏ' or 'ㅗ,' otherwise '-어야 되다' is used. '하다' is changed to '해야 되다.'

예문 EXAMPLE

· 단어를 외워야 돼요.

· 버스를 타고 가야 돼요.

· 내일 다시 병원에 가야 돼요.

· 잠을 푹 자야 돼요.

· 옷을 많이 입어야 돼요.

· 약을 잘 먹고 푹 쉬어야 돼요.

· 따뜻한 물을 자주 마셔야 돼요.

· 아르바이트를 해야 돼요.

활용 PRACTICE

가 : 열이 많이 나요.

나 : 빨리 병원에 가야 돼요.

가 : 뭘 더 준비해야 돼요?

나 : 음료수가 있어야 돼요.

-기 전에

의미　MEANING

동사 뒤에 붙어서 뒤의 행동이
앞의 행동보다 먼저 일어났음을
나타낸다.

'-기 전에' is combined with a verb,
indicating that the latter action
occurred before the former
action.

형태　FORM

동사의 받침 유무에 상관없이
'-기 전에'를 쓴다.

'-기 전에' is used regardless of
whether a verb stem ends with
a consonant or not.

예문　EXAMPLE

- 저녁을 먹**기 전에** 쇼핑을 할까요?
- 수영을 하**기 전에** 준비 운동을 했어요?
- 자**기 전에** 보통 책을 읽어요.
- 고향에 돌아가**기 전에** 같이 식사해요.
- 친구 생일 파티를 하**기 전에** 꽃을 사요.
- 결혼식을 하**기 전에** 친구를 초대해요.
- 요리를 하**기 전에** 고기하고 채소를 사요.
- 이 사람은 자**기 전에** 요가를 해요.

활용　PRACTICE

가 : 저녁을 먹기 전에 보통 뭘 해요?

나 : 한국어 숙제를 해요.

가 : 대학교를 졸업하기 전에 뭘 하고 싶어요?

나 : 친구들하고 여행을 가고 싶어요.

-아서 / 어서

의미　MEANING

동사 뒤에 붙어서 일이 일어난 순서를
나타낸다.

'-아서/어서' is combined with a verb,
indicating the order of actions.

형태　FORM

동사의 모음이 'ㅏ, ㅗ'면 '-아서',
그 외 모음이면 '-어서'를 쓴다.
'하다'는 '해서'로 쓴다. 과거의 '-았/었-',
미래·추측의 '-겠-'과 결합하지 않는다.
앞 절과 뒤 절의 주어가 같아야 하고,
주로 뒤 절의 주어는 생략한다.

'-아서' is used when the final vowel of
a verb stem is 'ㅏ' or 'ㅗ,' otherwise '-어서'
is used. '하다' is changed to '해서.'
It cannot be combined with '-았/었-'
which indicates the past tense or with
'-겠-' which indicates the future tense
or a supposition. The subject of
the first clause should be the same
as that of the second clause,
and the subject of the second
clause is usually omitted.

예문　EXAMPLE

- 카페에 **가서** 커피를 마셔요.
- 여행을 **가서** 사진을 많이 찍고 싶어요.
- 아침에 일어**나서** 아침을 먹어요.
- 일찍 일어**나서** 운동을 하러 가요.
- 친구를 만**나서** 같이 영화를 봐요.
- 한국어를 배**워서** 한국 여행을 하고 싶어요.
- 샐러드를 만들**어서** 친구하고 먹어요.
- 친구를 초대**해서** 생일 파티를 해요.

활용　PRACTICE

가 : 오늘 오후에 뭐 할 거예요?

나 : 공원에 가서 산책을 할 거예요.

가 : 점심에 뭐 먹었어요?

나 : 김밥을 만들어서 먹었어요.

-(으)ㄹ 수 있다, 없다

의미 MEANING

동사 뒤에 붙여서 어떤 일을 할 수 있는 능력이 있거나 어떤 일이 가능할 때 사용한다.
어떤 일을 할 수 있는 능력이 없거나 어떤 일이 가능하지 않을 때는 동사 뒤에 '-(으)ㄹ 수 없다'를 쓴다.

'-(으)ㄹ 수 있다, 없다' is combined with a verb, and used to indicate ability or possibility.
'-(으)ㄹ 수 없다' is used at the end of a verb when someone cannot do something or when something is not possible.

예문 EXAMPLE

- 이 책을 읽**을 수 있어요**.
- 수영을 **할 수 있어요**.
- 피아노를 **칠 수 있어요**.
- 스키를 **탈 수 있어요**.
- 다리를 다쳐서 운동**할 수 없어요**.
- 다른 약속이 있어서 만**날 수 없어요**.
- 다른 일이 있어서 모임에 **갈 수 없어요**.

형태 FORM

동사에 받침이 있으면 '-을 수 있다, 없다', 받침이 없으면 '-ㄹ 수 있다, 없다'를 쓴다. 'ㄹ' 받침 동사는 '수 있다, 없다'로 쓴다.

'-을 수 있다, 없다' is used when a verb stem ends with a consonant, and '-ㄹ 수 있다, 없다' is used when a verb stem ends with a vowel. When a verb stem ends with 'ㄹ,' '수 있다, 없다' is used.

활용 PRACTICE

가 : 안나 씨, 한국어를 읽을 수 있어요?
나 : 네. 읽을 수 있어요.

가 : 내일 모임에 같이 갈 수 있어요?
나 : 그럼요. 같이 가요.

11

-고 있다

의미   MEANING

동사 뒤에 붙여서 어떤 동작이
진행되고 있음을 나타낼 때
사용한다.

'-고 있다' is combined with a verb
and used to indicate that
a certain action is in progress.

형태   FORM

동사의 받침 유무에 상관없이
'-고 있다'를 쓴다.

'-고 있다' is used regardless of
whether a verb stem ends with
a consonant or not.

예문   EXAMPLE

· 라면을 먹**고 있어요**.
· 음악을 듣**고 있어요**.
· 책을 읽**고 있어요**.
· 청소하**고 있어요**.
· 테니스를 치**고 있어요**.
· 자전거를 타**고 있어요**.
· 전화하**고 있어요**.
· 친구하고 이야기하**고 있어요**.

활용   PRACTICE

가 : 수지 씨는 지금 뭐 해요?
나 : 케이팝(K-POP)을 듣고 있어요.

가 : 모임 음식 준비는 다 했어요?
나 : 아니요. 아직 음식을 만들고 있어요.

에게, 한테

의미 MEANING

명사 뒤에 붙여서 행위의 영향을 받는 대상을 가리킬 때 사용한다.

'에게, 한테' attaches to the end of a noun, indicating a target that is affected by an action.

형태 FORM

명사의 받침 유무와 상관없이 '에게', '한테'를 쓴다.

'에게, 한테' is used regardless of whether a noun ends with a consonant or not.

예문 EXAMPLE

- 안나 씨가 유진 씨**에게** 선물을 주었어요.
- 아버지가 주노 씨**에게** 사과를 주었어요.
- 재민 씨가 누나**에게** 편지를 보낼 거예요.
- 수지 씨가 동생**에게** 전화하고 있어요.
- 마리 씨가 리사 씨**에게** 축하 카드를 썼어요.
- 주노 씨가 수지 씨**한테** 전화를 했어요.
- 안나 씨가 리사 씨**한테** 메시지를 보냈어요.
- 마리 씨가 지니 씨**한테** 커피를 주었어요.
- 안나 씨가 재민 씨**한테** 케이크를 만들어서 주었어요.

활용 PRACTICE

가 : 안나 씨에게 무슨 선물을 할 거예요?
나 : 저는 지갑을 줄 거예요

가 : 유진 씨, 지금 뭐 하고 있어요?
나 : 형한테 사진을 보내고 있어요.

-(으)니까

의미 MEANING

동사나 형용사 뒤에 붙여서 이유를 말할 때 사용한다.

'-(으)니까' is combined with a verb or an adjective and used to express reasons.

형태 FORM

동사나 형용사의 받침이 있으면 '-으니까', 받침이 없으면 '-니까'를 쓴다. 'ㄹ' 받침 동사나 형용사는 'ㄹ'이 탈락하고 '-니까'를 쓴다.

'-으니까' is used when a verb stem or an adjective stem ends with a consonant, and '-니까' is used when it ends with a vowel. When a verb stem or an adjective stem ends with 'ㄹ,' the final consonant 'ㄹ' is dropped and then '-니까' is used.

예문 EXAMPLE

- 날씨가 좋**으니까** 산책을 해요.
- 날씨가 추우**니까** 영화관에 가요.
- 세종식당이 싸고 맛있**으니까** 거기로 가요.
- 지금은 약속이 있**으니까** 주말에 해요.
- 배가 안 고프**니까** 차를 마셔요.
- 이번 주에는 바쁘**니까** 다음 주에 봐요.
- 리사 씨가 요리를 자주 하**니까** 그릇을 선물해요.
- 동생이 케이팝(K-POP)을 좋아하**니까** 콘서트 표를 선물해요.
- 유진 씨가 게임을 좋아하**니까** 게임기는 어때요?

활용 PRACTICE

가: 주노 씨, 오늘 저녁에 만날까요?

나: 오늘은 한국어 수업이 있으니까 내일 만나요.

가: 수지 씨에게 어떤 선물을 줄까요?

나: 수지 씨가 인형을 좋아하니까 인형은 어때요?

부록

색인 1

Index
(in Korean alphabetical order)

1B

1부. 어휘와 표현

색인 2

Index
(in English alphabetical order)

1B

※ 이 교재는 산돌폰트 외 Ryu 고운
한글돋움OTF, Ryu 고운한글바탕OTF
등을 사용하여 제작되었습니다. Ryu
고운한글돋움OTF, Ryu 고운한글바탕
OTF 서체는 서체 디자이너 류양희 님
에게서 제공 받았습니다.

세종한국어 | 어휘·표현과 문법 1B

기획	국립국어원	박미영 학예연구사
	국립국어원	조 은 학예연구사
집필	책임 집필	이정희 경희대학교 국제교육원 교수
	공동 집필	장미정 고려대학교 교양교육원 조교수
		김은애 서울대학교 언어교육원 대우교수
		천민지 한양대학교 국제교육원 교육전담교수
		김지혜 경희대학교 국제교육원 한국어 강사
	집필 보조	문진숙 경희대학교 국어국문학과 박사수료
		한재민 경희대학교 국어국문학과 박사수료
		정성호 경희대학교 국어국문학과 박사수료
		서유리 경희대학교 국어국문학과 박사과정
	번역 감수	변우영 오하이오주립대학교 동아시아어문학과 부교수

발행　국립국어원

주소: (07511) 서울특별시 강서구 금낭화로 154

전화: +82 (0)2-2669-9775　전송: +82 (0)2-2669-9727

누리집: www.korean.go.kr

초판 1쇄 발행　　2022년 9월 1일

초판 2쇄 발행　　2024년 5월 3일

편집 · 제작　공앤박 주식회사

주소: (05116) 서울특별시 광진구 광나루로56길 85, 프라임센터 3411호

전화: +82 (0)2-565-1531　전송: +82 (0)2-6499-1801

누리집: www.kongnpark.com / www.BooksOnKorea.com (구매)

총괄	공경용
편집	이유진, 김세훈, 이진덕, 여인영, 김령희, 성수정, 최은정, 함소연
영문 편집	Sung A. Jung, Paulina Zolta, Kassandra Lefrancois-Brossard
디자인	오진경, 서은아, 이종우, 이승희
삽화	강승희, 곽명주, 박가을, 이재영, 정원교
관리·제작	공일석, 최진호
IT 자료	손대철
마케팅	윤성호

ISBN 978-89-97134-39-7 (14710)

ISBN 978-89-97134-21-2 (세트)